Schott Piano Classics

Erik Satie

1866 – 1925

Klavierwerke

Piano Works
Œuvres pour Piano

Band 1 / Volume 1

3 Gymnopédies · 6 Gnossiennes · Sonatine bureaucratique

für Klavier
for Piano
pour Piano

Herausgegeben von / Edited by / Edité par
Wilhelm Ohmen

ED 9013
ISMN 979-0-001-11387-8

Band 2 / Volume 2
ED 9016

Band 3 / Volume 3
ED 9028

www.schott-music.com

Mainz · London · Berlin · Madrid · New York · Paris · Prague · Tokyo · Toronto
© 1996 SCHOTT MUSIC GmbH & Co. KG, Mainz · Printed in Germany

Vorwort

Erik Alfred Leslie Satie wurde am 17. Mai 1866 in Honfleur geboren. Er studierte Harmonie und Klavier am Conservatoire von Paris. Im Laufe seines Lebens war er mehrfach dazu gezwungen, seinen Unterhalt als Klavier- und Akkordeonspieler in Pariser Bars und Cabarets zu sichern. Außerdem war er Gelegenheitsmaler. Um 1890 begegnete er Debussy und schloß mit ihm Freundschaft. In dieser Zeit begann er auch, eigene Bilder auszustellen und gründete sogar eine Kulturzeitschrift. Im Jahr 1898 zog Satie nach Arcueil, einem Pariser Vorort. Zwischen 1905 und 1908 studierte er bei d'Indy und Roussel in der *Schola Cantorum*. Er legte dort ein Examen ab, für das er die Note „sehr gut" erhielt. Einige seiner Werke hatten mittlerweile das Interesse von Ravel und Debussy erregt, die nach 1910 eine Auswahl instrumentierten. Satie starb im Jahre 1925 in armen Verhältnissen. Noch 1924 war seine Filmmusik mit dem Titel *Cinéma* erfolgreich uraufgeführt worden.

Als künstlerischer und gesellschaftlicher Außenseiter wendete sich Satie gegen die Traditionen des 19. Jahrhunderts. Er hielt Abstand zu den Strömungen der deutschen Romantik. In seinen frühen Werken griff er zunächst auf Techniken mittelalterlicher Musik zurück, wobei er auf herkömmliche kompositorische Gestaltungsmodelle verzichtete. Rhythmik, Harmonik und Melodik verbanden sich zu meist unexpressiven Klängen. Im Vordergrund standen nicht Formspannung und -entspannung, sondern das Prinzip der Reihung. Dadurch erlangte Saties Musik einen unverwechselbaren „meditativen" Charakter.

Fasziniert von diesem neuen Stil, der wegweisend für die Musik des 20. Jahrhunderts werden sollte, schloß sich eine Gruppe junger Künstler unter Saties Leitung zur *Groupe des Six* zusammen. Ihr gehörten u. a. Arthur Honegger, Francis Poulenc und Darius Milhaud, Saties engster Freund, an. Darüber hinaus weisen die so unterschiedlichen Werke eines Debussy, Ravel, Strawinsky oder Cocteau und Picasso Spuren der Beschäftigung mit Saties Ideen und seinem Schaffen auf.

Zu den frühen Werken Saties gehört eine Folge von Tänzen: Sarabandes, Gymnopédies, Gnossiennes und Danses gothiques. Die *Gymnopédies* (1888) nehmen auf feierliche Festtänze nackter Jünglinge (*gymnos* - nackt / *paidos* - Knabe) im alten Sparta Bezug. Saties Titel greift zugleich ein Element antiker Kulturtradition und nachromantischer Ironie auf. Den von ihm komponierten Tänzen ist ein gleichförmiger Rhythmus nach Art eines langsamen Walzers eigen. In diesen Stücken ist Saties musikalische Poetik gut nachvollziehbar: „Eine Melodie hat keine eigene Harmonie, ebensowenig wie eine Landschaft eine eigene Farbe hat. Die harmonische Situation einer Melodie ist grenzenlos, denn die Melodie ist ein Ausdruck im Ausdruck."
(Erik Satie)

Die *Gnossiennes* gehen auf kultische Reigen- und Schreittänze der Einwohner der Stadt Knossos zurück. Das griechische Wort *gnosis* bedeutet aber auch „Erkenntnis" oder „Urteil". Wiederum spielt Satie in einem Gattungsbegriff mit unterschiedlichen Deutungsmöglichkeiten. Die harmonische, musikalische und sogar spieltechnische Nähe der *Gnossiennes* Nr. 1-3 (1890) zu den *Gymnopédies* ist deutlich spürbar. In Abweichung zur ansonsten üblichen „écriture musicale" läßt Satie z. B. Taktstriche und Taktvorzeichnungen entfallen. Die Dur/Moll-Tonalität ist durch eine griechisch-orientalische, modale Harmonik ersetzt. Auffällig an diesen Werken Saties ist die Baukastenmethode: die Austauschbarkeit und willkürliche Wiederholbarkeit der kleinen Phrasen, aus denen die Komposition besteht. Die *Gnossiennes* Nr. 4-6 (zw. 1889 und 1897 entstanden) unterscheiden sich durch ihre komplexere Harmonik und spieltechnisch anspruchvolleren Begleitfiguren von den vorangegangenen.

Alle Stücke bewegen sich im piano- und pianissimo-Bereich. Bezüglich der Pedalisierung empfiehlt der Herausgeber, jeweils den Baßton und den folgenden Akkord der linken Hand auf ein Pedal zu nehmen (siehe Gymnopédie I). An einigen Stellen ist zusätzlich ein Halbpedal angebracht (siehe Gnossienne I).

Die *Sonatine bureaucratique* (1917) zählt zu den Kompositionen der späten Zeit (Zusammenarbeit mit Jean Cocteau). Man bezeichnet sie auch als „Musique d'ameublement" (Musik der Möblierung). Gemeint ist mit diesem rätselhaften Begriff ein gesellschaftliches Verhalten seitens des Zuhörers: Dieser soll nämlich der Musik nicht mehr Bedeutung beimessen, als er es dem Mobiliar gegenüber tut. („...Wir bitten die Zuhörer, sich so zu verhalten, als ob keine Musik gespielt würde...").

Wie auch in anderen Stücken dieser Zeit, erzählt Satie parallel zum Notentext kleine „Stories". Es sind dies sinngemäß oder assoziativ umzusetzende Spielanweisungen, die an die Phantasie des Spielers appellieren, um ihn aus seiner „sinnlichen einseitigen Tätigkeit des bloßen Spielens von Noten" herauszureißen. Saties Sinn für Ironie zeigt sich auch im Zusammenhang mit der Sonatine, die sich als Parodie auf Muzio Clementis Klaviersonate *C-Dur* op. 36/1 entpuppt.

Die Fingersätze, Metronomzahlen und alle Angaben in eckigen Klammern stammen vom Herausgeber. Die Metronomzahlen sind Vorschläge, die geringfügig variiert werden können.

Wilhelm Ohmen

Covergestaltung: H. J. Kropp
unter Verwendung eines
Gemäldes von Antoine de
La Rochefoucauld, 1894

Preface

Erik Alfred Leslie Satie was born on 17 May 1866 in Honfleur. He studied harmony and piano at the Paris Conservatoire. In the course of his life he was obliged on a number of occasions to earn his keep by playing the piano and accordion in Parisian bars and night clubs. In addition to this, he was an occasional painter. In about 1890 he made the acquaintance of Debussy and the two became friends; at this time he also began exhibiting his own paintings, and even founded his own cultural journal. In 1898 Satie moved to Arcueil, a suburb of Paris. Between 1905 and 1908 he studied with d'Indy and Roussel at the *Schola Cantorum*, taking an examination there which he passed with distinction. Meanwhile, some of his works had aroused the interest of Ravel and Debussy, who orchestrated a selection of them from 1910 onwards. Satie died in poverty in 1925, though in 1924 film music by him entitled *Cinéma* had met with success at its première.

Finding himself something of a misfit, both in artistic and social circles, Satie turned against the traditions of the 19th century, keeping his distance from the tide of German Romanticism. In his early works he initially drew upon the compositional techniques of medieval music, while avoiding the use of conventional forms in his compositions. Rhythms, harmonies and melodies were combined to produce sounds largely devoid of expression: the main focus of interest was not the accumulation of suspense followed by resolution, but rather the principle of arranging material in series. Satie's music thereby took on an unmistakable 'meditative' character.

Fascinated by this new style, which was to mark the way forward for the music of the 20th century, a group of young artists came together under Satie's leadership as the *Groupe des Six*. Members included Arthur Honegger, Francis Poulenc and Darius Milhaud, Satie's closest friend. What is more, the works of artists as widely ranging as Debussy, Ravel and Stravinsky, or Cocteau and Picasso, also showed traces of Satie's ideas and influence.

Satie's early works include a series of dances: *Sarabandes*, *Gymnopédies*, *Gnossiennes* and *Danses gothiques*. The *Gymnopédies* (1888) refer to ceremonial dances by naked youths (*gymnos* - naked / *paidos* -young boy) in ancient Sparta. Satie's idea consists in combining an element of classical cultural tradition with post-Romantic irony. The dances composed by him are characterized by a uniformity of rhythm, in the style of a slow waltz. These pieces show the character of Satie's musical language quite clearly: 'A melody has no harmonies of its own, just as a landscape has no colours of its own. The harmonic possibilities for a melody are endless, since the melody is an idiom within an idiom.' (Erik Satie).

The *Gnossiennes* draw upon the cult of round-dances and stepping dances of the inhabitants of the town of Knossos; the Greek word *gnosis*, however, also means 'insight' or 'judgement'. Once more Satie plays with various possible interpretations within a genre. The harmonic, musical and even technical proximity of the *Gnossiennes* Nos. 1-3 (1890) to the *Gymnopédies* is clearly to be felt. In a departure from his customary 'écriture musicale', Satie leaves out bar-lines and time signatures, for example. A Grecian-Oriental modal sense of harmony takes the place of conventional major/minor tonality. What is striking in these works is Satie's method of composing with 'building-blocks', where the small phrases that are the substance of the piece can be interchanged and repeated at whim. The *Gnossiennes* Nos. 4-6 (written between 1889 and 1897) differ from the first three in their harmonic complexity and in the greater technical demands of their accompanying figures.

All the pieces remain within a dynamic range between *piano* and *pianissimo*. With regard to pedalling, the editor recommends taking the bass note and the subsequent left-hand chord in one pedal (see *Gymnopédie I*). In some places it is also appropriate to use half-pedalling (see *Gnossiene I*).

The *Sonatine bureaucratique* (1917) numbers among the compositions of Satie's later period (that of his collaboration with Jean Cocteau.). It is also described as 'Musique d'ameublement' (music as furniture). This intriguing term indicates an attitude on the part of the listener, who should not attribute a greater significance to the music than he does to the furnishings that surround him. ('…We ask listeners to behave as though no music were being played…').

As in other pieces of this period, too, Satie recounts little 'stories' to accompany the written music. These take the form of instructions or associative images indicating the general manner in which a piece is to be played, calling upon the player's imagination in order to tear him away from 'the dulling of the senses which results from the mere playing of notes'. Satie's sense of irony also reveals itself in the *Sonatine*, which turns out to be a parody of Muzio Clementi's Piano Sonata in C major, Op. 36 No. 1.

The fingerings, metronome markings and all indications in square brackets have been added by the editor. The metronome markings are suggestions which may to some extent be varied.

Wilhelm Ohmen
(Translation J. S. Rushworth)

Préface

Erik Alfred Leslie Satie est né le 17 mai 1866 à Honfleur. Il étudia l'harmonie et le piano au Conservatoire de Paris. Il fut contraint à plusieurs reprises au cours de sa vie à assurer son existence en travaillant comme pianiste et accordéoniste dans les bars et cabarets parisiens. De plus, il peignait à l'occasion. Il recontra Debussy en 1890 et se lia d'amitié avec lui. C'est à cette époque qu'il commença à exposer ses tableaux et qu'il fonda même une revue culturelle. Il s'établit en 1898 à Arcueil, un faubourg parisien. De 1905 à 1908, il fit des études auprès d'Indy et de Roussel à la *Schola Cantorum*. Il y passa son examen avec mention. Quelques-unes de ses œuvres avaient entre-temps éveillé l'intérêt de Ravel et de Debussy, qui en orchestrèrent une sélection après 1910. Satie mourut dans la misère en 1925. L'année 1924 avait vu encore la première à succès de sa musique de film, portant le titre de *Cinéma*.

Outsider artistique et social, Satie se tourna vers les traditions du XIXème siècle. Il se distança des courants du romantisme allemand. Dans ses premières œuvres, il eut tout d'abord recours à des techniques de la musique moyenâgeuse, renonçant aux modèles de composition traditionnels. L'harmonie et la mélodie se liaient en des sons la plupart du temps inexpressifs. Ce n'étaient pas la tension et la détente de la forme qui étaient au premier plan, mais le principe de l'addition. La musique de Satie prenait ainsi un caractère «méditatif» bien typique.

Fasciné par ce style nouveau qui devait devenir déterminant pour la musique du XXème siècle, un groupe de jeunes artists se forma sous la direction de Satie sous le nom de *Groupe des Six*. En firent partie entre autres Arthur Honegger, Francis Poulenc et Darius Milhaud, l'ami intime de Satie. En outre, les œvres si différentes de Debussy, Ravel, Stravinski ou Cocteau et Picasso révèlent des traces d'intérêts pour les idées et l'œuvre de Satie.

Une série de danses font partie des premières œuvres de Satie: Sarabandes, Gymnopédies, Gnossiennes et Danses gothiques. Les *Gymnopédies* (1888) se rapportent à des danses de fête solennelles de jeunes garçons nus (*gymnos* - nu / *paidos* - garçon) dans la Sparte antique. Le concept de Satie reprend d'une part un élément de la tradition culturelle antique, et parallèlement, l'ironie post-romantique. Le caractère propre à ses danses est un rythme régulier, du type de la valse lente. Ces morceaux permettent de bien compendre la poétique musicale de Satie: «Une mélodie n'a pas d'harmonie propre, de même qu'un paysage n'a pas de couleurs propres. La situation harmonique d'une mélodie est sans frontières, car la mélodie est une expression dans l'expression.» (Erik Satie).

Les *Gnossiennes* remontent aux rondes et branles des habitants de la ville de Knossos. Mais, le mot grec *gnosis* signifie aussi «connaissance» ou «jugement». Satie joue, ici encore, sur un concept de genre aux possibilités d'interprétations multiples. L'on sent nettement que les Gnossiennes n° 1 à 3 (1890) sont proches des *Gymnopédies*, tant sur le plan harmonique et musicale que sur celui de la technique. Au contraire l'écriture musicale habituellement courante, Satie supprime par exemple les barres de mesure et les indications à la mesure. La tonalité majeur/mineur est remplacée par une harmonie modale gréco-orientale. Ce qui frappe dans ces œuvres, c'est la méthode de construction en bloc: l'interchangeabilité et la répétitibilité arbitraires de phrases courtes qui constituent la composition. Les *Gnossiennes* n° 4 à 6 (écrites entre 1889 et 1897) se différencient des précédentes par leur harmonie plus complexe et les figures d'accompagnement techniquement plus élaborées.

L'ensemble des morceaux évolue dans le domaine du piano et du pianissimo. En ce qui concerne l'usage de la pédale, l'éditeur recommande de prendre à la pédale respectivement une basse et l'accord suivant de la main gauche (voir *Gymnopédie* no 1). Une demi pédale conviendrait à certains endroits (voir *Gnossienne* no 1).

La *Sonatine bureaucratique* (1917) fait partie des compositions de l'époque tardive (collaboration avec Cocteau). On la qualifie aussi de «Musique d'ameublement». Ce mystérieux concept se rapporte au comportement social de l'auditeur: celui-ci, en effet, ne doit pas attacher plus d'importance à la musique qu'à un meuble. («...Nous demandons aux auditeurs de se comporter comme s'il n'était pas joué de musique...»).

Comme dans d'autres morceaux de cette époque, Satie raconte, parallèlement aux notes, des petites «histoires». Il s'agit d'indications concernant la présentation, à appliquer de manière associative ou par approche, qui font appel à l'imagination de l'interprète pour le faire sortir de son «activité sensuelle unilatérale du simple jeu de notes». Le sens de l'ironie de Satie se dévoile aussi en rapport avec la Sonatine, qui se révèle être une parodie de la Sonate pour piano en Ut majeur op. 36/1 de Muzio Clementi.

Les doigtés, les indications métronomiques et toutes les indications entre crochets ont été ajoutés par l'éditeur. Les indications métronomiques sont des propositions qui peuvent être légèrement modifiées.

Wilhelm Ohmen
(Traduction Martine Paulauskas)

Sonatine bureaucratique

Le voilà parti.
Il va gaiement à son bureau en se
>gavillant<.
Content, il hoche la tête.

Il aime une jolie dame très élégante.
Il aime aussi son porteplume, ses
manches en lustrine verte et sa
calotte chinoise.
Il fait de grandes enjambées; se
précipite dans l'escalier qu'il
monte sur son dos.
Quel coup de vent!
Assis dans son fauteuil il est heureux, et le fait voir.
Il réfléchit à son avancement.

Peut-être aura-t-il de l'augmentation sans avoir besoin d'avancer.

Il compte déménager au prochain
terme.
Il a un appartement en vue.
Pourvu qu'il avance ou augmente!

Nouveau songe sur l'avancement.

Il chantone un vieilair péruvien
qu'il a recueilli en Basse-Bretagne
chez un sourd-muet.

Un piano voisin joue du Clementi.

Combien cela est triste.
Il ose valser! (Lui, pas le piano)

Tout cela est bien triste.
Le piano reprend son travail.

Notre ami s'interroge avec bien-
veillance.
L'air froid péruvien lui remonte à
la tête.
Le piano continue.
Hélas! il faut quitter son bureau,
son bon bureau.
Du courage: partons dit-il.

Bürokratische Sonatine

Jetzt ist er gegangen.
Fröhlich macht er sich auf zum
Büro und kaut noch.
Zufrieden wiegt er den Kopf hin
und her.
Er liebt eine hübsche, sehr elegan-
te Dame.
Er liebt auch seinen Federhalter,
seine grünseidenen Ärmelschoner
und sein chinesisches Käppchen.
Er macht große Schritte; stürzt
sich ins Treppenhaus, das er auf
dem Rücken liegend erklimmt.
Was für ein Windstoß!
In seinem Sessel sitzend ist er
glücklich, und man sieht es.
Er denkt über seine Beförderung
nach.
Vielleicht bekommt er eine
Gehaltserhöhung, ohne befördert
werden zu müssen.
Er hat vor, am Ende des nächsten
Quartals umzuziehen.
Er hat eine Wohnung in Aussicht.
Vorausgesetzt, er wird befördert
oder bekommt mehr Geld.
Neuer Traum von der Beför-
derung.
Er summt ein altes Lied aus Peru,
das er in der unteren Bretagne von
einem Taubstummen aufge-
schnappt hat.
Ein Klavier nebenan spielt
Clementi.
Wie traurig das doch ist.
Er wagt es, einen Walzer zu tan-
zen! (Er, nicht das Klavier)
Das alles ist doch sehr traurig.
Das Klavier nimmt seine Arbeit
wieder auf.
Unser Freund stellt sich wohlwol-
lend einige Fragen.
Die kühle peruanische Weise geht
ihm wieder durch den Kopf.
Das Klavier spielt weiter.
Schade! Er muß sein Büro verlas-
sen, sein geliebtes Büro.
Nur Mut: Gehen wir, sagt er.

Bureaucratic Sonatina

There he goes.
He walks merrily to his office
"stuffling" himself as he goes.
Contentedly he wags his head.

He loves a pretty, most elegant
lady.
He also loves his penholder, his
green lustrous cuffs and his chine-
se cap.
He takes long strides; he hurries to
the stairs and mounts them upon
his back.
What a wind!
Sitting in his armchair he is happy,
and shows it.
He dreams of his promotion.

Perhaps he will have an increase
without promotion.

He hopes to move house next
quarter.
He has an apartment in view.
If only the rise or promotion came
off!
More dreams of promotion.

He hums an old Peruvian air
which he collected from a deaf-
mute in lower Brittany.

A piano nearby plays Clementi.

How sad it is.
He dares to waltz! (He, not the
piano)
That's all very sad.
The piano resumes its work.

Our friend benevolently examines
himself.
The cold Peruvian air goes to his
head again.
The piano continues.
Alas! he must leave his office, his
dear office.
Courage: let's go, he says.

Glossaire

air
avec conviction et avec une tristes-
se rigoureusement
avec étonnement
avec une légère intimité
conseillez-vous soigneusement

dans une grande bonté
dans une saine supériorité
de manière à obtenir un creux
douloureux
du bout de la pensée
enfouissez le son
grave
hâve de corps
lent
luisant
modéré
munissez-vous de clairvoyance
ne sortez pas
ouvrez la tête
pas à pas
pendant un instant
perdu
plus intimement
portez cela plus loin
postulez en vous-même

questionnez
ralenti
ralentir
sans orgueil
savamment
seul pendant un instant
sur la langue
très
triste

Glossar

Lied, Melodie
mit Überzeugung und Traurigkeit,
entschlossen
mit Überraschung
mit einer leichten Vertrautheit
Gehen Sie mit sich sorgfältig zu
Rate
mit großer Güte
mit gesunder Überlegenheit
so, daß ein Hohlraum entsteht
schmerzlich
von der Spitze des Gedankens her
Vergraben Sie den Ton
bedeutsam
fahl
langsam
leuchtend
gemäßigt
Wappnen Sie sich mit Hellsicht
nicht aus der Reihe tanzen
den Kopf benutzen
Schritt für Schritt
einen Augenblick lang
verloren
noch inniger
weiter entfernt ausklingen lassen
Gehen Sie mit sich zu Rate, inner-
lich abwägen
Fragen Sie
verzögert
langsamer werden
ohne Stolz
klug
für einen Augenblick allein
auf der Zungenspitze
sehr
betrübt, traurig

Glossary

song, tune
strictly, with conviction and
sadness
with astonishment
with a slight touch of intimacy
carefully consider yourself

with great goodness
in a spirit of healthy superiority
so as to obtain a hollow
painful
at the tip of one's thoughts
bury the sound
grave
pale as a corpse
slow
glowing
moderate
indulge in second sight
do not be too noticeable
open up your head
step by step
for a moment
lost
more intimately
convey it further
seek within yourself

ask
delayed
slow down
without pride
knowingly
on your own for a moment
on the tip of the tongue
very
sad

Inhalt · Contents · Contenu

Trois Gymnopédies

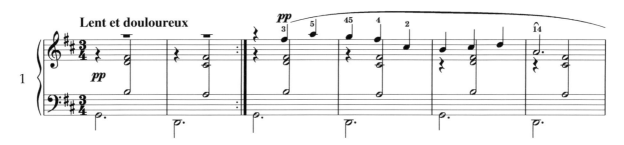

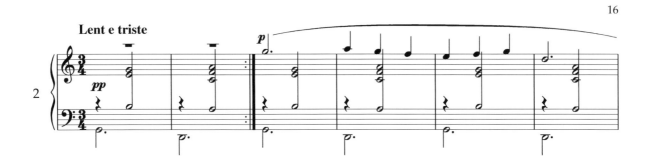

Six Gnossiennes

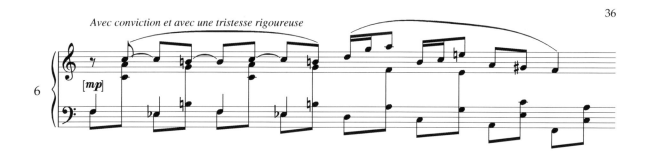

Sonatine bureaucratique

à Mademoiselle Jeanne de Bret

1ère Gymnopédie

Erik Satie
1888

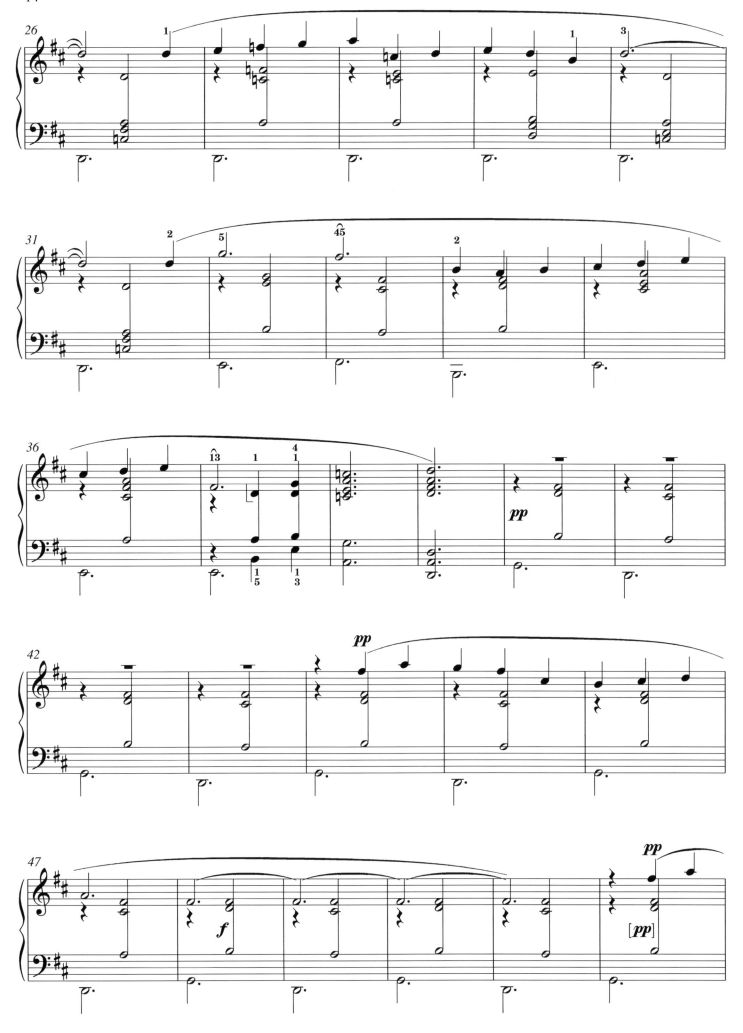

à Conrad Satie

2ème Gymnopédie

Erik Satie
1888

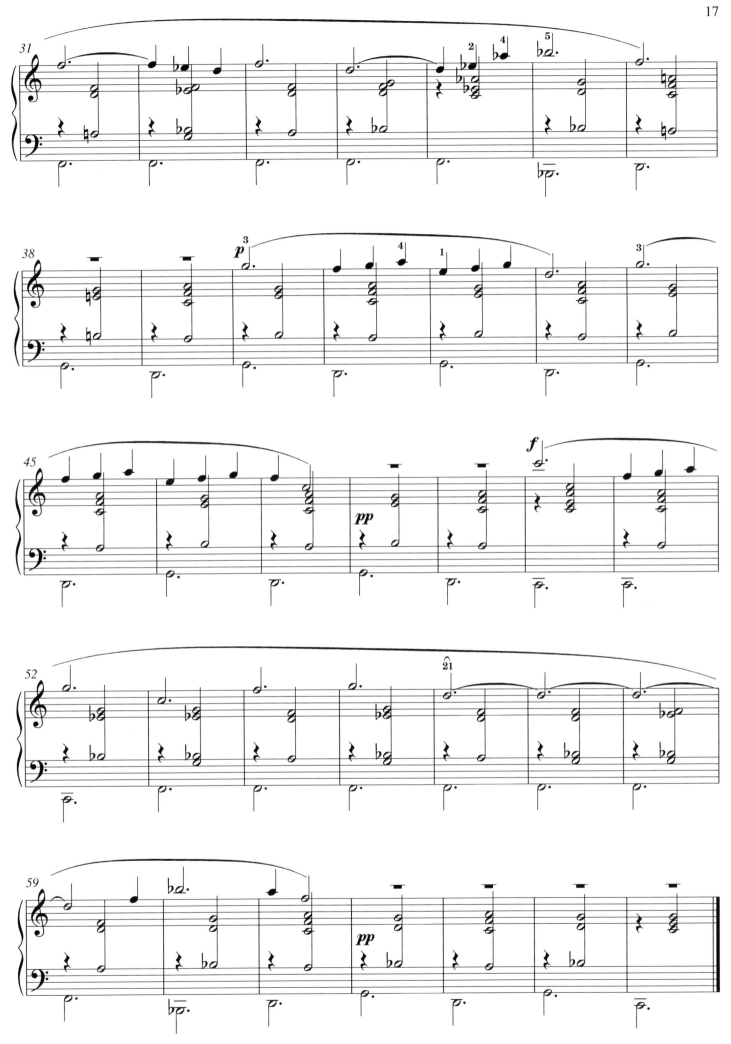

à Charles Levadé

3ème Gymnopédie

Erik Satie
1888

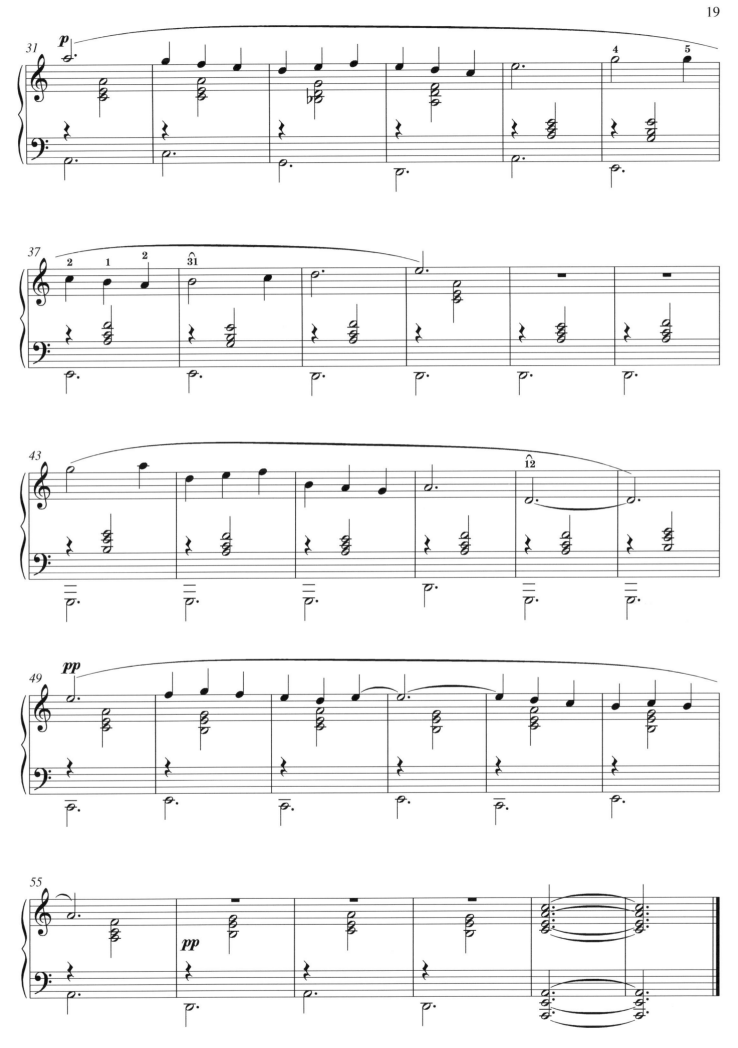

à Roland Manuel

1ère Gnossienne

Erik Satie
1890

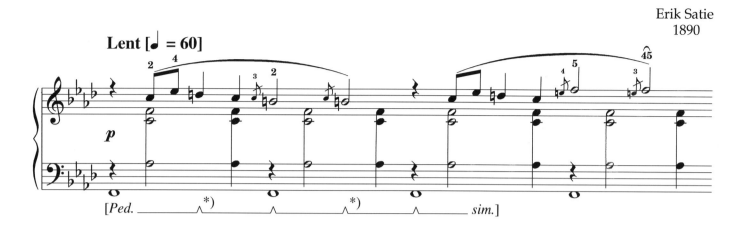

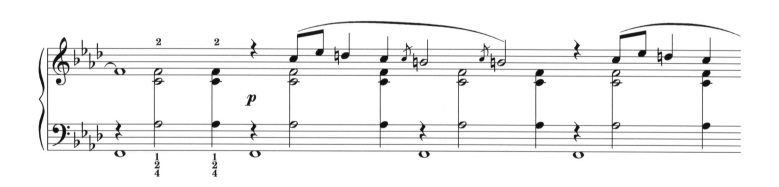

*) Halbpedal, der Baßton klingt weiter.

© 1996 Schott Music GmbH & Co. KG, Mainz

22

Du bout de la pensée

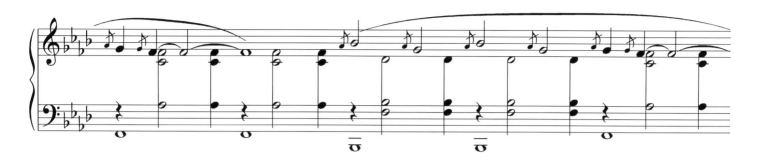

Postulez en vous-même

Pas à pas

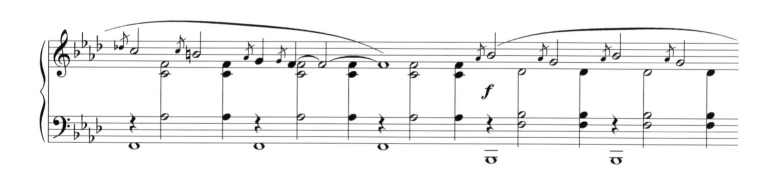

Sur la langue

2ème Gnossienne

Erik Satie
1890

[♩ = 66]

Avec étonnement

*) Halbpedal, Baßton klingt weiter.

Avec une légère intimité   *Sans orgueil*

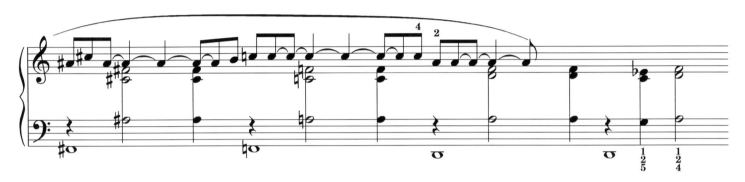

pp

3ème Gnossienne

Erik Satie
1890

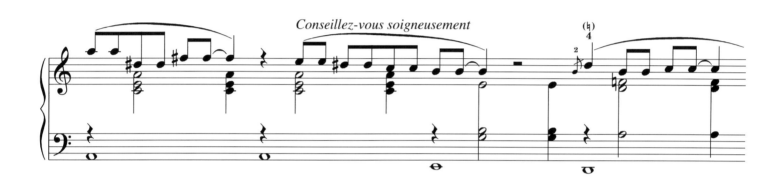

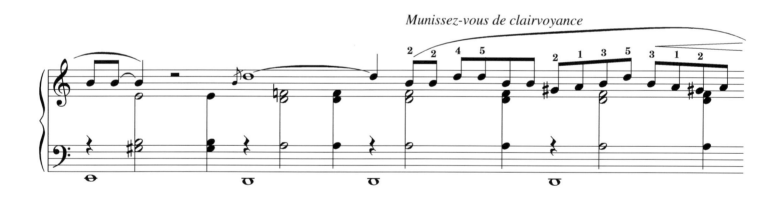

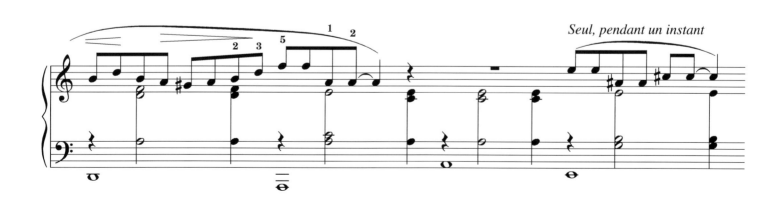

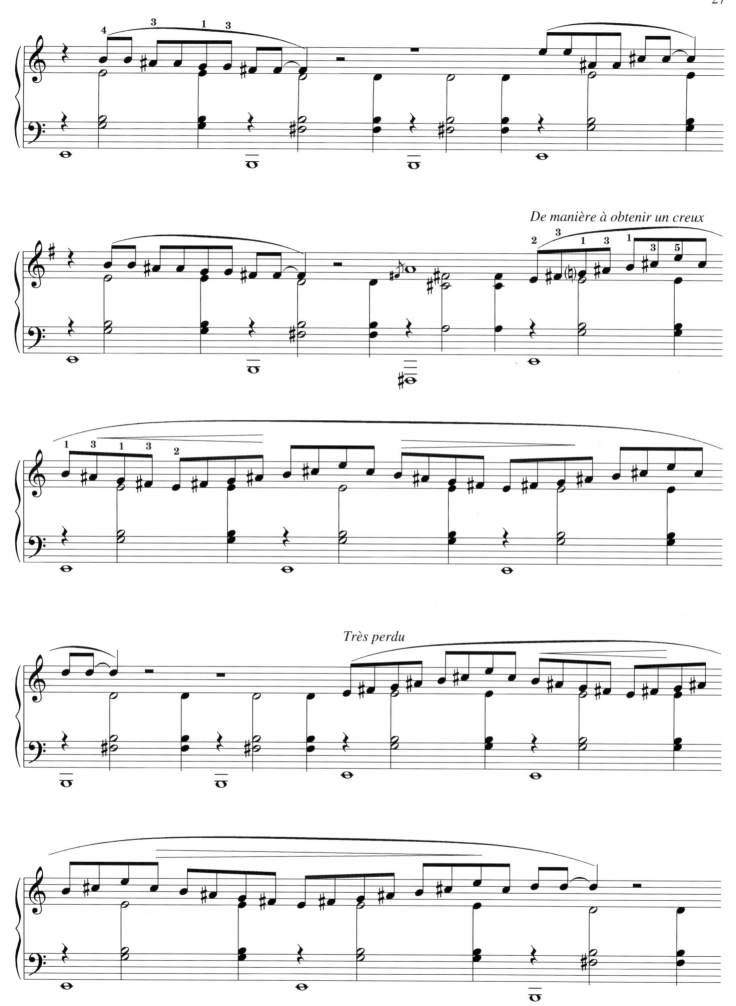

De manière à obtenir un creux

Très perdu

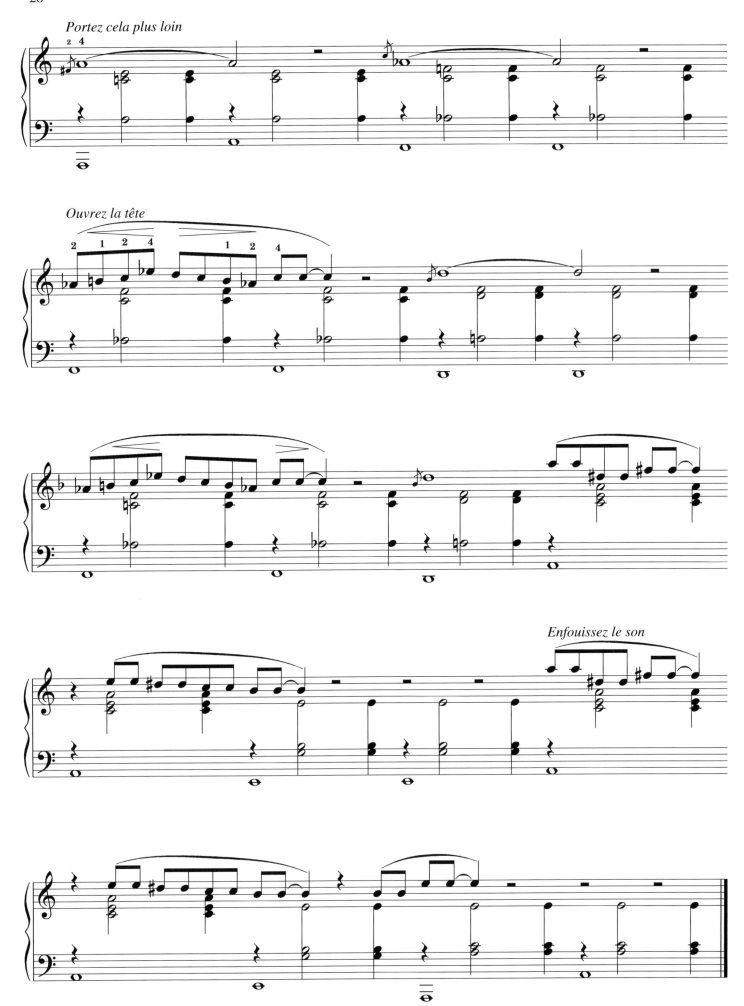

4ème Gnossienne

Erik Satie
1891

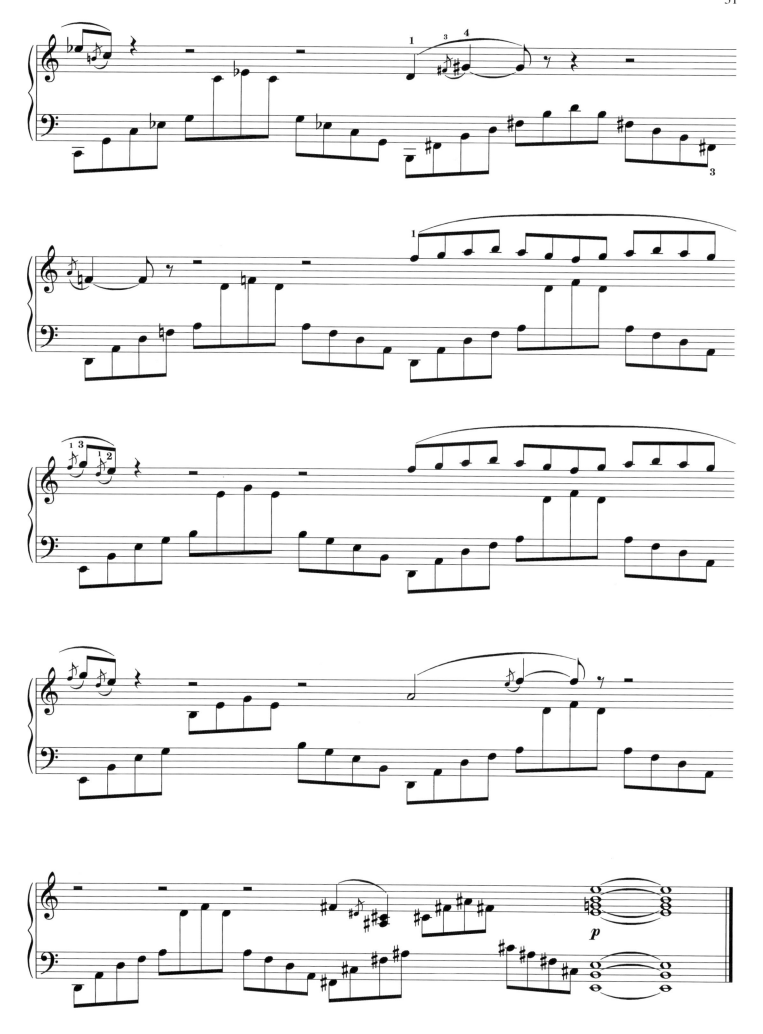

5ème Gnossienne

Erik Satie
1889

6ème Gnossienne

Erik Satie
1897

à Juliette Meerovitch, amicalement

Sonatine bureaucratique

Erik Satie
1917

Il aime aussi son porteplume,

Il aime une jolie dame très élégante

ses manches en lustrine verte et sa calotte chinoise

Il fait de grandes enjambées

se précipite dans l'escalier qu'il monte sur son dos

Quel coup de vent! (1)

Assis dans son fauteuil il est heureux, et le fait voir

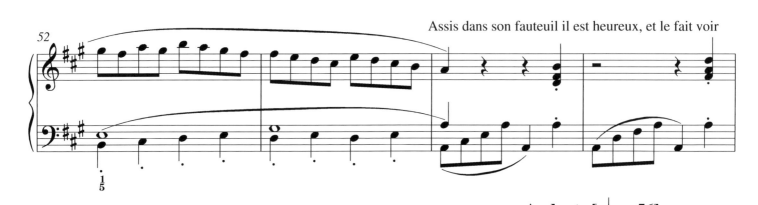

Andante [♩. = 56]

Il réfléchit à son avancement

Peut-être aura-t-il de l'augmentation sans avoir besoin d'avancer

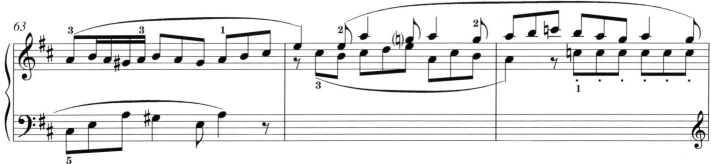

Vivace [♩. = 88]

Il chantonne un vieil air péruvien qu'il a recueilli en Basse-Bretagne chez un sourd-muet

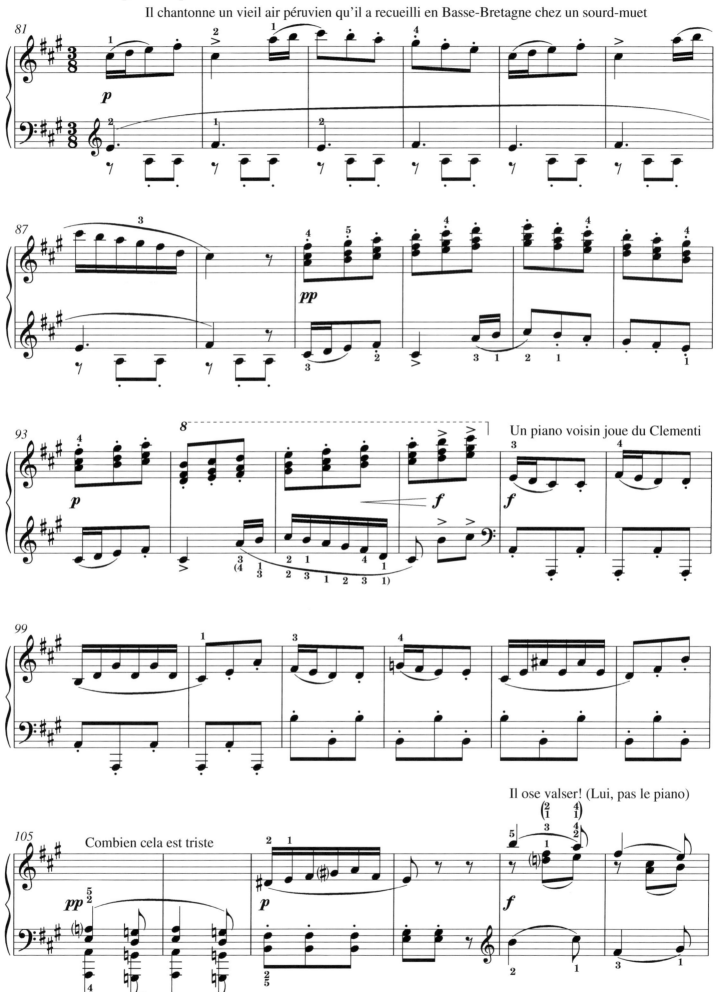

Un piano voisin joue du Clementi

Il ose valser! (Lui, pas le piano)

Combien cela est triste

Tout cela est bien triste

Le piano reprend son travail

Notre ami s'interroge avec bienveillance

[*ralentir*]

[*a tempo*]
L'air froid péruvien lui remonte à la

tête

Le piano continue

Hélas! il faut quitter son bureau,

son bon bureau

Du courage: partons dit-il

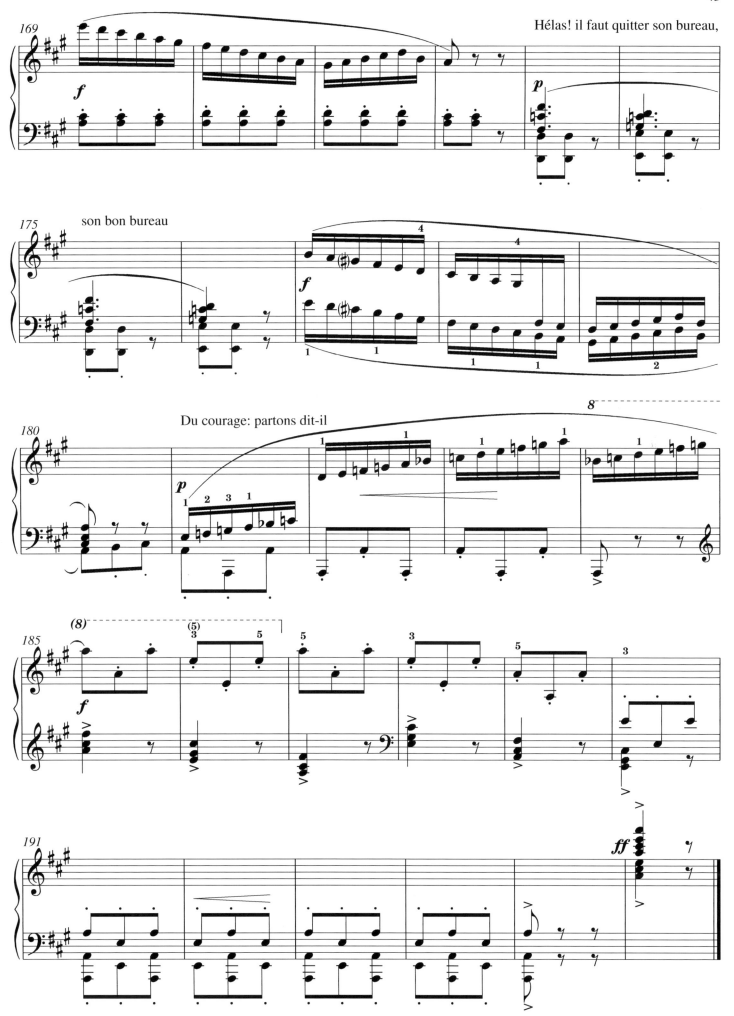